EL RECETARIO VEGANO DE ISMAEL

Te animo a disfrutar

de estos deliciosos platos,

cocinados desde el amor y el respeto,

para que la gran familia que somos

se convierta en una mucho más grande.

Ismael

ENTRANTES

Boquerones en vinagre de Ismael

Ingredientes

1 calabacín

Perejil

3 dientes de ajo

Vinagre

Aceite de oliva

Sal

Elaboración

Cortamos el calabacín en tiras y lo hervimos
durante unos minutos.

Lo dejamos reposar durante 4 horas
en vinagre y sal.

Cortamos el ajo y el perejil y los introducimos
en aceite de oliva.

Pasadas las 4 horas más o menos, sacamos las
tiras de calabacín del vinagre y las sumergimos
en el aceite con el ajo y el perejil. Dejamos
enfriar en la nevera.

Ensaladilla rusa de Lía con veganesa

Ingredientes para la ensaladilla

1 bolsa de ensaladilla congelada o varias piezas de verduras que utilices habitualmente (patata, zanahoria, judía verde, guisantes).

Ingredientes (para la mayonesa vegana o veganesa)

1 taza de leche de soja natural (sin aditivos)

½ taza de aceite de oliva

½ taza de aceite de girasol

Sal

Un chorrito de vinagre

Elaboración de la ensaladilla

Hervimos la bolsa de ensaladilla o cortamos las zanahorias y las patatas a cuadraditos y las cocemos con las judías y los guisantes.

Una vez hervidas, escurrimos bien las verduras y las aliñamos con la veganesa. Mezclamos bien.

Podemos decorarla con olivas y pimiento rojo asado cortado a tiras.

Elaboración de la veganesa

Batimos los ingredientes.

Si buscamos una veganesa más espesa, podemos añadir aceite de girasol hasta conseguir la textura deseada.

Queso vegano para untar de Coque

Podemos variar los ingredientes según
el sabor que queramos. En este caso, lo vamos
a hacer con ajo y aceitunas.

Ingredientes

400 g de yogur de soja natural sin aditivos

8 aceitunas sin hueso

1 diente de ajo

1 cucharadita de sal

Perejil al gusto

Elaboración

Vertemos el yogur en un colador de tela
y lo dejamos toda una noche para que suelte
el líquido.

Una vez que el yogur está escurrido, echamos
en una picadora las aceitunas
y el ajo.

Colocamos el yogur en un cuenco y le
añadimos la sal, el perejil, el ajo y las aceitunas
que hemos picado. Removemos para
mezclarlo todo bien y servimos.

Sobrasada vegana de Coque

Ingredientes

80 g de almendra tostada salada

8 tomates secos en aceite

1 cucharada de aceite de tomate seco

½ cucharadita de pimentón de la vera

1 cucharadita de ajo en polvo

Elaboración

Picamos las almendras en una batidora.
Añadimos después el resto de ingredientes y
batimos hasta que quede todo bien mezclado.

PRIMEROS PLATOS

Sopa de remolacha con judías de Robert

Ingredientes

Caldo de verduras

2 patatas

2 remolachas

1 bote de judías blancas hervidas

150 g de judía verde plana

Sal

Pimienta

Mejorana

Preparación

Pelamos las patatas y las cortamos a dados. Cortamos las puntas de las judías verdes planas y las troceamos. Hervimos hasta que se ablanden un poco y reservamos.

Calentamos el caldo de verduras hasta que hierva. Si tenemos la remolacha cruda, la rayamos y dejamos hervir unos minutos. Si ya está hervida, podemos agregar el resto de ingredientes (la judía blanca, la patata y la judía verde plana). Sazonamos al gusto con sal, pimienta y un poco de mejorana.

Tumbet mallorquín de Ismael

Ingredientes
(para 2 personas)

1 berenjena
3 patatas medianas
1 pimiento verde
1 pimiento rojo
1 calabacín
1 cebolla
4 dientes de ajos
3 tomates enteros
1 bote de tomate frito
Perejil
Vino blanco
Sal

Elaboración

Cortamos la berenjena en láminas de aproximadamente 0,5 cm de espesor, salamos y la dejamos reposar unos diez minutos para que no amargue.

Por otro lado, pelamos las patatas y las cortamos también en láminas de 0,5 cm de espesor. Sazonamos.

Limpiamos los pimientos y los cortamos en tiras. Después, los salamos.

En una sartén honda, ponemos a calentar aceite y salteamos los pimientos con dos dientes de ajo enteros durante unos quince minutos. Una vez hecho, los reservamos sobre papel absorbente para que suelten el exceso de aceite.

Repetimos el proceso con las patatas y el calabacín.

Lavamos la berenjena, volvemos a salarla y la pasamos ligeramente por harina. Freímos la berenjena y la ponemos sobre papel absorbente.

En una sartén, sofreír la cebolla, los dos dientes de ajos picados, unas hojitas de perejil y los tomates. Cuando esté bien sofrita, añadimos tomate frito y vino blanco, agregando una cucharada de azúcar y un poquito de sal. Dejamos cocer unos 10 minutos. Lo batimos.

Ponemos a calentar el horno a 180 °C.

En una fuente, colocamos primero las berenjenas y añadimos un poquito de salsa, extendiendo bien. Seguimos con los pimientos y ponemos otro poquito de tomate, lo mismo hacemos con el calabacín y por último colocamos las patatas y echamos el resto del tomate.

Introducimos en el horno por un espacio de 15 minutos para que se termine de hacer.

Fideuá vegana de Coque

Ingredientes

1 cebolla

1 berenjena

1 o 2 dientes de ajo

1 paquete de fideos cabello de ángel (400 g aprox.)

Aceite de oliva

Sal, pimienta y albahaca al gusto

1 litro de caldo vegetal (si no tienes, lo puedes hacer con una o dos pastillas de caldo vegetal)

Elaboración

Cortamos la verdura y sofreímos en una
sartén. En otra sartén, vertemos los fideos
directamente de la bolsa y salteamos con
aceite de oliva hasta que se doren un poquito.

Lo mezclamos todo y agregamos el caldo
vegetal a cacitos, removiendo de vez en
cuando. Conforme se vaya consumiendo
el caldo, vamos añadiendo cacitos hasta
terminarlo.

Dejamos reposar 5 minutos y servimos,
acompañado de alioli vegano.

RECETA ALIOLI VEGANO

Ingredientes

1 taza de leche de soja natural (sin aditivos)
½ taza de aceite de oliva
½ taza de aceite de girasol
Sal
1 cucharada de vinagre o limón
1 diente de ajo

Elaboración

Batimos los ingredientes. Si queda muy líquido,
seguimos añadiendo aceite de girasol sin parar
hasta conseguir la textura deseada.

Bocaditos de carne vegetal al horno de Robert

Ingredientes

Patatas

Cebolla

Zanahoria

Pimiento verde

Pimiento rojo

Sal

Pimienta

Aceite de oliva

Elaboración

Pelamos las patatas, las zanahorias, la cebolla y lo cortamos todo, junto al pimiento verde y el pimiento rojo. Hervimos durante 5-10 minutos la patata y la cebolla en agua con sal para que ablandarlas. Salteamos en una sartén los pimientos y los bocados de carne vegetal. En una fuente de horno, ponemos todas las verduras y los bocaditos de carne vegetal, agregamos sal, pimienta y un poco de aceite de oliva. Mezclamos todo. Introducimos la fuente en el horno precalentado a 180 °C por la parte superior para dorar las verduras. Iremos removiendo para que se doren uniformemente.

Tortilla de patatas vegana de pimientos y cebolla de Lía

Ingredientes

3 o 4 patatas

1 cebolla

2 pimientos verdes pequeños

½ pimiento rojo

160 g de harina de trigo

1 cucharadita de ajo en polvo

1 cucharadita de cúrcuma

1 cucharadita de sal

½ cucharadita de levadura en polvo

300 ml de agua tibia

Aceite de oliva

Elaboración

Pelamos y cortamos las patatas en daditos y las freímos en abundante aceite de girasol. Cortamos la cebolla y los pimientos en tiras y los freímos en abundante aceite de girasol. En una fuente ponemos la harina, la sal, una cucharadita de cúrcuma, una cucharadita de ajo en polvo y media cucharadita de levadura en polvo, lo removemos y echamos el agua tibia. Batimos y lo mezclamos en la fuente con las patatas y los pimientos.

Echamos un chorrito de aceite de oliva en una sartén. Cuando esté caliente vertemos la mezcla y cocinamos a fuego lento. Movemos la sartén de vez en cuando.

Para darle la vuelta podemos ayudarnos de una tapa o un plato.

Filetes rusos con puré de patatas y guisantes y ensaladilla de pepino de Robert

Ingredientes para los filetes rusos

Carne picada vegana

Cebolla

Pan rallado

Sal

Pimienta

Aceite oliva

Ingredientes para el puré

Patata monalisa

Guisantes

Margarina vegana

Leche de almendra

Sal

Ingredientes
para la ensaladilla de pepino

Pepino

Cebolla tierna

Yogur natural de soja

Sal

Pimienta

Eneldo (si es fresco, da más sabor)

Elaboración de los filetes rusos

Picamos la cebolla y la doramos. Agregamos la cebolla a la carne picada vegana con un poco de sal y pimienta. Hacemos forma de hamburguesa, rebozamos con pan rallado y freímos en aceite de oliva.

Elaboración del puré de patata y guisantes

Pelamos las patatas, las troceamos y ponemos a hervir en agua con sal. Cuando ya están blandas escurrimos y le agregamos la margarina vegana, una pizca de sal, un poco de leche de almendras y los guisantes. Lo chafamos todo hasta conseguir una textura fina de puré.

Elaboración de la ensaladilla de pepino

Pelamos el pepino y lo troceamos a láminas finas, agregamos cebolla tierna picada, sal, pimienta, eneldo fresco y el yogur natural de soja. Mezclamos.

POSTRES

Tarta de queso vegano de Lía

Ingredientes para la base de galleta

16 galletas tipo digestive
3 ½ cucharadas soperas de margarina

Ingredientes

250 g de tofu blando
1 cucharada sopera de limón o vinagre
2 cucharadas soperas colmadas de harina de bizcocho
½ cucharadita de sal
2 cucharadas soperas de azúcar moreno
1 cucharada sopera de leche vegetal

Elaboración

Precalentamos el horno a 170 °C para la galleta, mezclamos todo en la picadora y extendemos la mezcla en el molde.

Después, picamos el resto de ingredientes y los vertimos sobre la base de la galleta.

Horneamos durante unos 20 minutos.

Dejamos enfriar y untamos en la parte superior la mermelada del sabor que más nos guste.

Tarta de plátano y nueces de Ismael

Ingredientes para la crema

60 g de margarina vegetal

150 g de azúcar glass

1 cucharada de leche vegetal

½ plátano

Ingredientes para la base

150 ml leche vegetal

1 cucharada de vinagre

2 cucharadas de aceite vegetal

2 plátanos maduros

120 g de azúcar de caña

½ cucharadita pequeña de sal

¼ cucharadita pequeña de nuez moscada

160 g harina de repostería

1 ½ cucharadita pequeña de levadura en polvo

½ cucharadita pequeña de bicarbonato

50 g de nueces

Elaboración de la crema

Lo ponemos todo en la picadora y cuando empiece a espesar, reservamos en el frigorífico.

Elaboración de la base

En un bol pequeño, batimos la leche y los dos plátanos.

En otro bol, mezclamos bien todos los ingredientes secos y después añadimos el batido de leche, los plátanos y el resto de ingredientes húmedos.

Vertemos en un molde de silicona y horneamos a 170 °C durante unos 25 minutos.

Dejamos enfriar, añadimos la crema y las nueces troceadas por encima.

NOTAS

¡Cocinar vegano es muy fácil!

Estas 16 recetas sin ingredientes de origen animal,
muy saludables y con sencillas elaboraciones,
te sorprenderán y conquistarán tu paladar.

Edición no venal
www.duomoediciones.com